plus belle la vie

Renaud Lhardy

vivilablonde

Les mésaventures de Nathan

www.tigrebleu.fr

Conception graphique et réalisation : Isabelle Oziel

© Le tigre bleu/Telfrance Série, 2009
Le tigre bleu 31, rue Faidherbe, 75011 Paris
www.tigrebleu.fr
Telfrance Série 71, rue de la Victoire, 75009 Paris
www.plusbellelavie.fr

ISBN : 978-2-916-28913-7
Diffusion en France : Volumen
Diffusion en Belgique : Interforum Benelux

D'après une idée originale d'Hubert Besson,
une histoire et des personnages créés par Bénédicte Achard,
Georges Desmouceaux, Magaly Richard-Serrano et Olivier Szulzynger
© Telfrance Série/Rendez-Vous Production Série – 2004/2005
avec la participation de France 3.

Les mésaventures de Nathan

Le mistral, non merci !

— **A**dam Berard ?

– Présent, m'dame.

– Clara Vicente ?

– Présente, madame !

– Bien ! Tout le monde est là. Nous pouvons commencer la nouvelle leçon.

À peine madame Michaud avait-elle fini de faire l'appel qu'une voix fluette retentit au fond de la classe. La mienne...

— Euh... Vous m'avez oublié, madame. Je suis nouveau !

Je levai la main pour que la prof puisse me repérer. Je m'étais mis tout au fond de la classe afin de passer inaperçu. C'était loupé ! Madame Michaud me fit signe de me lever et me demanda de me présenter à mes nouveaux camarades.

— Ben, je m'appelle Nathan Leserman ! balbutiai-je.

— Très bien Nathan, reprit la prof de physique, qui était aussi notre professeur principal. Et d'où viens-tu ?

— De Bordeaux, m'dame ! Je suis venu avec mon père, qui a trouvé du boulot à Marseille...

— Très bien ! Tu peux te rasseoir Nathan. Rémy, tu lui donneras les derniers cours pour qu'il puisse se mettre à jour rapidement.

Rémy soupira. C'était mon voisin et c'est certainement pour cela que madame Michaud lui avait confié cette mission. Ça avait l'air de l'ennuyer profondément. Quant aux autres élèves, ils ne me quittaient pas du regard. Ils se murmuraient des choses entre eux. Impossible d'entendre ce qu'ils se disaient mais, à mon avis, ce n'étaient pas des trucs sympas. Bonjour l'accueil ! J'étais dans mon nouveau collège depuis moins d'une heure, et déjà, j'avais l'impression d'être une bête de foire. Dire qu'à Bordeaux, tous mes camarades de classe m'adoraient. J'étais une idole là-bas ! Ils m'aimaient bien parce que je n'hésitais pas à prendre la défense des élèves face aux profs. Et je n'étais pas le dernier non plus pour faire le pitre. Je me souviens de nos cours de dessin avec madame Guérin. La pauvre ! Avec mes copains, on lui en faisait voir de toutes

les couleurs. Notre cours avait lieu le mercredi matin. Chaque premier mercredi du mois, les sirènes d'alerte des pompiers retentissaient à midi pile. Alors, avec mes amis du fond de la classe, nous nous jetions sous notre table en criant : « L'armée de Voldemort attaque ! C'est la guerre ! Tous à vos planques... » Madame Guérin devenait rouge de colère ! Elle s'était rendu compte que j'étais le chef de la bande :

— Leserman, qu'est ce qui se passe encore ?

— Rien, madame, c'est pas moi ! répondais-je à chaque fois comme par réflexe.

— Bien sûr, c'est jamais de ta faute Nathan, avec ta tête d'ange !

« Tête d'ange ! » Le surnom m'était resté. Je l'aimais bien, ce surnom. Surtout quand les filles m'appelaient comme ça. J'avais pas mal de filles amoureuses de moi à Bordeaux, mais je n'en aimais qu'une : Solène. Elle était mignonne avec un sourire charmeur. Elle rigolait tout le temps, c'était dans sa nature. À chaque fois que je faisais un truc ou que je racontais une blague, elle me souriait avec un regard complice. Le bonheur ! J'adorais ma vie à Bordeaux. Pourquoi papa a-t-il eu cette idée folle de déménager ?

Je me souviens comme si c'était hier du jour où je l'ai appris. J'avais passé une après-midi magique avec Solène. Mamie Marcelline m'avait permis d'aller au cinéma et elle m'avait donné 20 euros d'argent de poche. Nous étions allés voir *Le Seigneur des anneaux*. Entre nous deux, la maxi box de pop-corn et deux cocas. Le rêve ! Malgré la longueur du film, je n'avais pas vu le temps passer. Au moment du générique de fin, Solène m'avait demandé de fermer les yeux. Puis elle s'était penchée sur moi, au-dessus des restes de pop-corn, et avait déposé un bisou sur mes lèvres. Je ne savais plus quoi faire. Je restai paralysé. Je ne savais pas quoi lui dire. Mais c'était génial ! J'entendais mon cœur battre super vite et super fort, comme un tambour. Ça y est, je savais ce que c'était d'être amoureux. Je ne pensais plus qu'à elle. Nous avions déjà pris rendez-vous pour la semaine suivante. Quand je suis rentré, mamie Marcelline m'a posé plein de questions sur le film. Je répondais « oui » à chacune des questions sans même les écouter. Mon esprit était ailleurs. Ah Solène ! Je suis ensuite monté dans ma chambre pour écouter l'album de Raphaël sur mon lecteur mp3, quand le claquement de la porte me fit redescendre sur terre. C'était papa. Bizarre, bizarre ! D'habitude, il ne passait

jamais le samedi. Il me gardait unique-
ment le dimanche. Et encore, quand il
n'était pas à l'étranger pour son travail.
Ce qui lui arrivait très souvent. Normale-
ment, quand il me prenait un autre jour
de la semaine, il prévenait avant. Là,
aucun coup de fil. Papa m'embrassa, puis
me demanda de le laisser seul avec mamie

dans la cuisine. Il avait quelque chose à lui dire. Au son de sa voix, j'ai senti qu'il se passait quelque chose de grave. Ça m'a fait peur. Alors j'ai pris un verre que j'ai collé contre le mur pour mieux entendre leur conversation. J'avais appris cette technique lors de ma dernière colo de vacances pour espionner le dortoir des filles. Et ça marchait. J'entendais papa et mamie comme si j'étais avec eux dans la cuisine. Mamie prit la parole :

— Guillaume, êtes-vous sûr de votre choix ? Ça ne va pas plaire à Nathan…

— Je ne changerai pas d'avis, Marcelline. Je n'ai pas le choix. Si je ne le prends pas avec moi, le juge pour enfants va le placer en foyer. Je ne veux pas passer pour le père indigne et je trouve que Nathan multiplie les âneries depuis quelques temps. Vous n'avez plus l'âge de vous occuper d'un ado turbulent comme lui. S'il continue comme ça, il va finir en prison dès qu'il atteindra sa majorité ! Je reprends les choses en main. Je l'emmène avec moi à Marseille. Il finira son année scolaire dans un collège du quartier du Mistral. De toute façon, ce sont bientôt les grandes vacances, il sera bien au bord de la mer.

À l'annonce de cette nouvelle, le ciel me tomba sur la tête ! La rage m'envahit. Et en moins de deux secondes, je bondis dans la cuisine :

– Pas question que je parte avec toi ! Je suis bien à Bordeaux. J'ai ma chambre, mes copains, et puis je... je... je suis amoureux !

Je n'avais pas l'intention de le lui dire, mais il fallait qu'il le sache si je voulais rester ici. Malheureusement, mon argument ne sembla lui faire ni chaud ni froid.

– Des copains et des amoureuses, tu en

trouveras d'autres à Marseille, répondit papa.

Quoi ? Comment osait-il me dire ça ! Lui, il avait eu autant d'amoureuses qu'il y a de personnages dans le dernier Mario Kart : qu'est-ce qu'il connaissait de l'amour, le vrai, celui qui dure toute une vie ? Comme le mien avec Solène. Et question devoir parental, il avait aussi des

leçons à revoir. À chaque fois qu'il avait une nouvelle princesse, il la suivait à l'autre bout du monde en me laissant seul avec mamie. J'étais malheureux de le voir partir sans savoir quand il allait revenir. Avec le risque qu'un jour, comme maman, il ne revienne pas. Maintenant que je m'étais habitué à ses va-et-vient, il voulait m'emmener avec lui. Je n'avais pas l'intention de me laisser faire.

Malheureusement, la volonté d'un enfant n'a pas beaucoup de poids face à celle d'un adulte.

Quinze jours plus tard, nous faisions nos valises pour le Mistral. Et me voici aujourd'hui pour mon premier jour de classe... Oh, c'est vrai, je suis en classe ! J'ai rêvassé pendant tout le cours de madame Michaud. Vite, il faut que j'écrive sur mon cahier ce qu'elle a marqué au tableau : « L'éthanol est-il un corps pur ? » Pfff... Je m'en fiche ! C'est d'un ennui, ce cours. Et la voix de cette prof est si monotone. Un vrai somnifère ! Pourtant, il va falloir s'y habituer : j'ai madame Michaud en biologie, en physique-chimie et en maths. La poisse ! D'autres élèves ont dû vivre le même enfer avant moi : il y a plein d'écritures sur ma table. Je vais marquer à mon tour cette table de mon empreinte : « Je m'ennuie... je m'ennuie... je m'ennuie... C'est pourri Marseille ! »

— Madame, Nathan, il écrit sur la table !

Rémy venait de me dénoncer. Quel fayot, ce Rémy !

— Nathan, si tu veux rattraper ton retard, il faut écouter le cours, rétorqua Madame Michaud.

— Mais... euh... en fait... euh ! Surpris, je ne sus quoi répondre.

Le mistral, non merci !

Les 24 élèves se retournèrent. J'avais 48 yeux braqués sur moi. Même deux de plus si on ajoute ceux de la prof. Je devais être rouge comme une tomate. Certains élèves rigolaient de me voir si mal à l'aise. Les autres râlaient parce que je leur faisais perdre leur temps et qu'à ce rythme, on ne pourrait pas finir le programme de physique. Madame Michaud reprit finalement sa craie et continua à écrire son cours au tableau. Je regardai Rémy avec un air agressif. Lui avait un petit sourire au coin des lèvres. Il était visiblement très content de m'avoir mis la honte. La suite allait le confirmer. Laurent, qui était assis juste devant moi, se retourna, me regarda négligemment, comme si je n'existais pas, et demanda à Rémy ce que j'avais écrit sur la table.

— Il s'ennuie et trouve que Marseille, c'est nul ! répondit Rémy sans hésitation.

Laurent tourna sa grosse tête vers moi et me dit méchamment :

– Si tu t'ennuies, t'as qu'à repartir chez toi !

Rémy rigola. Décidément, quel lèche-bottes, ce Rémy. Bien sûr que si ça ne tenait qu'à moi, je repartirais tout de suite à Bordeaux, « chez moi » comme il dit. La réflexion de Laurent m'avait énervé au plus haut point. Le sang me montait aux tempes. Mes doigts fourmillaient. J'étais sur le point de lui arracher ses lunettes et de lui coller mon poing entre les deux yeux lorsque Clara, sa voisine, intervint :

– Lâchez-le ! Ce n'est pas facile d'arriver en fin d'année dans un nouveau collège.

La manière dont Clara dit cette phrase me fit penser qu'elle avait dû aussi, une fois dans sa vie, changer d'école en pleine

année scolaire. Je voulus le lui demander, mais madame Michaud, gênée par nos discussions, avait à nouveau interrompu son cours. Elle nous fixait sans rien dire, dans un silence pesant. Quand on s'en aperçut, Laurent et Clara se retournèrent. Rémy et moi nous redressâmes sur nos chaises et fîmes semblant de recopier ce qu'il y avait au tableau. Madame Michaud reprit son cours sans dire un mot mais en me lançant un regard noir. Elle devait se dire que ce petit nouveau n'était pas une bonne pioche. Je sentais déjà qu'elle ne m'aimait pas. Elle ne voulait certainement pas trop m'enfoncer le premier jour. Mais, dès demain, elle sera sûrement plus virulente à mon égard si je ne me tiens pas à carreaux. Ça ne m'impressionne pas. Au pire, qu'est ce qu'elle peut faire contre moi ? Me renvoyer du collège ? Vu l'ambiance qui règne dans cette classe, ça m'est égal ! Et puis, tiens, si je vais au bout de ma pensée, papa sera obligé de me ramener à Bordeaux en cas de renvoi. La voilà, la solution : me faire détester par mes camarades, me faire mal voir des profs et, enfin, me faire renvoyer. Si je m'y prends bien, je suis sûr que dans une semaine je peux être de retour à Bordeaux. Cool ! Je reprends espoir. Mistraliens, vous allez voir de quel bois je me chauffe. Quant à toi, Solène, mon amour, je vais bientôt pouvoir te serrer à nouveau dans mes bras.

La goutte d'eau

— **V**iens dans mes bras mon petit Nathan que je te serre très fort !

Maman s'approchait de moi et, tendrement, me déposait un baiser sur le front. Puis elle disparaissait en fumée. Je me retournais, la cherchais, l'appelais, mais elle n'était plus là. J'avais beau crier de toutes mes forces, elle ne revenait pas. Rien du tout ! Je restais immobile au milieu d'une pièce immense. Une larme coulait sur ma joue, suivie d'un torrent d'autres. Je me sentais seul au monde. Cette vision me terrorisait !

Je me réveillai en sursaut. Depuis que j'avais atteint l'âge de comprendre que maman était au ciel, ce cauchemar revenait régulièrement. J'avais quatre ans quand elle a disparu. Je ne me souviens plus trop d'elle, à peine de sa chevelure rousse et de quelques sourires. Mais je ne sais pas trop si ce sont des souvenirs ou si c'est mon imagination qui se la figure comme ça, à l'aide des quelques photos que j'ai d'elle. Même si j'ai appris à vivre sans, elle me manque encore. Les gens qui me connaissent évitent de m'en parler, mais il y a toujours des personnes pour me rappeler sa disparition. Hier, la patronne de l'hôtel en face de là où nous

vivons, une certaine Mirta, a demandé à papa « où était la maman ?» alors que nous avions les bras chargés de cartons. Papa lui fit comprendre d'un regard et de quelques mots bien choisis qu'elle n'était pas là. Mirta a réalisé sa gaffe. Elle a rougi et a bafouillé quelques mots avant de nous souhaiter bon courage pour le déménagement. Papa ne s'est pas étendu sur le sujet pensant que je n'avais pas

entendu. Mais j'avais tout compris. Je pense que cette réflexion est la cause de ce cauchemar. Il revient souvent quand je change de maison ou de lit, tout comme aujourd'hui.

Depuis mon arrivée au Mistral, nous dormons dans un petit appartement que nous a trouvé Rachel Lévy, une grand-tante, soi-disant. Je n'en avais jamais entendu parler. De son côté, elle était hyper contente de me retrouver. Elle n'a pas de famille et surtout pas de petit-fils à chouchouter. Alors, l'arrivée d'un jeune homme dans sa vie bien ennuyeuse semble lui redonner une seconde jeunesse. Au début, je trouvais ça saoulant. À chaque fois qu'elle me voit, elle me tire les joues. J'ai horreur de ça ! Déjà que mon arrivée au Mistral est un calvaire, si en plus il faut que je supporte les papouilles d'une

vieille, c'est la loose ! Et puis, dès le premier soir, elle a glissé dans ma poche un
billet en me faisant un clin d'œil complice.
Sans dire un mot pour que papa ne s'en
rende pas compte. J'ai vite compris que
cette Rachel a de l'argent. Voilà enfin une
bonne nouvelle depuis mon arrivée dans
le quartier : une grand-tante pouvant
devenir un distributeur de banque.
Depuis, je la laisse m'embrasser sans

broncher. Je me dis qu'à chaque joue tirée, c'est une place de cinéma, un jeu vidéo ou une BD sur les ninjas qui va bientôt tomber dans ma poche. Le kif ! En plus, elle est plutôt sympa avec moi. Et cerise sur le gâteau, elle se méfie de papa. Elle trouve louche sa façon de s'occuper de moi. Enfin quelqu'un qui s'aperçoit des lacunes de mon père ! Depuis notre arrivée, nos relations se sont encore détériorées avec papa. Sa promesse de s'occuper de moi n'a tenu qu'une semaine. Le temps qu'il trouve une nouvelle copine, Luna, la fille de la dame de l'hôtel. Maintenant qu'il lui court après, je passe au second plan. Il ne s'adresse à moi qu'en me criant dessus pour me reprocher d'avoir fait ci ou de ne pas avoir fait ça. Ce matin encore, j'ai eu le droit aux « Dépêche-toi, tu vas être en retard à l'école ! », « Combien de fois faudra-t-il

que je te dise d'aller te laver les dents ? »,
« Éteins cette satanée télé ! »… J'étais
presque content de partir en cours. Enfin,
faut pas exagérer quand même !

Une nouvelle fois, je commençais ma
journée de cours avec madame Michaud.
À peine étais-je entré dans la classe
qu'elle me demanda de donner à manger
à Valentine, une tortue d'eau qu'elle avait
placée dans un aquarium au fond de la
classe. Elle s'en servait pour nos cours de
biologie. Mais surtout, c'était devenu la
mascotte de la classe. Tout le monde ado-
rait cette tortue. À tel point que l'élève
qui avait eu les meilleures notes à la fin
du semestre avait le droit de garde de
Valentine pendant les vacances. Les
nazes ! Moi, je hais les tortues. J'en avais
eu une à Bordeaux, que j'avais appelée
Donatello en hommage aux *Tortues ninja*.

Avec le temps, j'avais perdu toute admiration pour cet animal puant et affamé qui ne manquait jamais une occasion de me bouffer un doigt lorsque je lui donnais à manger. La petite et ravissante Donatello, que j'avais gagnée à une fête foraine, avait laissé place à un monstre ayant quadruplé de volume. Elle ne pouvait plus se retourner dans son aquarium tellement elle était devenue énorme. Immobile, elle

n'attendait qu'une chose de ses interminables journées : qu'on lui donne ses crevettes séchées qui puaient presque autant qu'elle. Lorsque j'approchais une crevette de sa vilaine petite tête, elle essayait toujours d'emporter un bout de mon doigt avec. Bref, je n'avais plus aucune sympathie pour Donatello, ni pour aucune tortue dans le monde.

Voilà que je revivais ces mauvais souvenirs. Je pris le flacon de nourriture à côté de l'aquarium de Valentine. Je l'ouvris et commençai à verser un peu de son contenu quand Valentine sauta à ma rencontre. Surpris, je lâchai la boîte, sous les yeux de madame Michaud qui m'épiait.

– Mais quel idiot ! T'en as mis partout Nathan ! Il va falloir tout laver. Allez, va t'asseoir, t'en as assez fait pour aujourd'hui ! Rémy, va changer l'eau s'il te plaît !

– Mais… j'y suis pour rien ! répliqua Rémy.

– Ne discute pas ! Valentine va s'étouffer si on ne change pas l'eau !

Rémy souffla. Il prit l'aquarium et me regarda d'un air désabusé. Je haussai les épaules. Encore une fois, la classe se retourna vers moi en me reprochant d'avoir fait punir Rémy. Toute une histoire pour une tortue. Si ça ne tenait qu'à moi, je l'aurais mise dans les toilettes et j'aurais tiré la chasse d'eau. Fini les problèmes ! Mais tous semblaient très attachés à Valentine. Quelle idée ! N'empêche que, sans le faire exprès, je venais une nouvelle fois de faire baisser ma cote de sympathie auprès de mes camarades. Ma stratégie fonctionnait.

La prochaine étape de mon plan était d'organiser un classement du garçon et de la fille préférés de la classe. Chaque élève devrait noter les candidats dans trois rubriques : beauté, sympathie et drôlerie. Ce genre d'élection provoque toujours des histoires entre les élèves. Je l'avais déjà testé auparavant. Mais j'étais devenu trop impopulaire pour lancer ce jeu. Il fallait que je trouve un allié. Et la seule qui pouvait à peu près me blairer, c'était Clara. Je lui tapotai le dos pour lui faire passer un message inscrit sur un bout de papier plié :

— Vous avez déjà élu la « Miss Monde » de la classe ? lui demandais-je.

— Non, c'est quoi ? me répondit-elle, par un petit bout de papier également.

Je lui expliquai le déroulement. Elle semblait emballée par l'idée. Elle en parla à son tour à sa voisine de devant et le message se relaya ainsi dans toute la classe. Le rendez-vous était pris. À la récréation, Clara et moi allions recueillir les inscriptions des candidats à l'élection, puis les votes des élèves.

Parmi mes camarades de classe, trois filles me paraissaient encore plus insupportables que les autres. Je les avais surnommées les « Totally Spies » car l'une était brune, l'autre rousse et la troisième était blonde avec un piercing sur la langue. Elles semblaient toutes très tartes, mais l'une se détachait du lot, la blonde, Jennifer. Bien qu'elle ne soit pas très belle, elle voulait se présenter à notre élection de « Miss Monde » de la classe. Alors qu'elle faisait la queue pour s'inscrire comme candidate, je lui ai dit que pour elle, c'était l'autre file d'attente, celle de « Miss Immonde ». Je n'avais pas pu m'en empêcher. D'ailleurs, j'étais très fier de ma vanne ! Je la trouvais subtile. Pas elle ! Elle l'a très mal pris. Elle est même partie

en pleurs. Ce que je ne savais pas, c'est que Jennifer était la petite copine de Rémy. Il la consola en lui disant qu'elle n'était pas si moche que ça. Puis il vint me voir.

— Tu me cherches ou quoi ? T'as un problème dans ta tête ?

— Non, moi, ça va ! Je crois plutôt que le problème vient de toi et de ta bande !

Rémy me poussa violemment. Je répliquai en lui faisant une balayette digne d'une ceinture noire de karaté. Rémy m'entraîna dans sa chute et nous poursuivîmes notre combat au sol. Coups de pied, coups de poing, coups de boule… tous les coups étaient permis ! Jusqu'à ce que madame Michaud nous sépare et nous colle à tous les deux une punition. Évidemment, toute la classe prit la défense de Rémy. Je m'enfonçais dans mon rôle de vilain petit canard. La suite de la semaine n'allait rien arranger :

La goutte d'eau

Le mercredi. Madame Michaud :

– Qui a collé le pot de colle au plafond ?

Toute la classe en chœur :

– C'est Nathan !

– À la porte ! Et tu me feras une nouvelle punition pour demain, ordonna la prof en colère.

Le jeudi. Madame Michaud :

– Qui envoie des boulettes de papier à travers la classe ?

– C'est Nathan ! fit l'écho.

Je ne pouvais pas nier, j'avais un élastique entre les doigts.

– À la porte ! Et tu me feras une nouvelle punition pour demain, radota madame Michaud.

Le vendredi. Je n'avais pas encore trouvé ma bêtise du jour que madame Michaud m'arracha à mes pensées. Je n'avais pas entendu le début de sa phrase et vaguement la fin qui devait être : « À la porte ! » Un ordre que je connaissais bien maintenant. Je me dirigeai alors vers la porte de la classe devant mes camarades et la prof, tous stupéfaits. Sans chercher à comprendre pourquoi j'étais puni. Toute la classe se mit alors à rigoler. Je ne comprenais pas pourquoi. Eux, ils avaient saisi le quiproquo. Madame Michaud parlait en fait de la punition qu'elle m'avait donnée à faire la veille et avait demandé que je la lui « apporte ». Et non « à la porte ». Ils n'en finissaient plus de se marrer. Je voyais leurs grandes dents. Ils se moquaient tous de moi. Je me sentais honteux. J'étais humilié. Et ils riaient aux éclats sans s'arrêter. Sur le seuil de la porte, je ne savais pas s'il fallait que je retourne à ma place ou s'il valait mieux que je m'en aille en courant. Si bien que je restais là, immobile, en attendant qu'ils ferment leurs bouches. Mais ils ne s'arrêtaient pas. Même madame Michaud savourait sans retenue cet instant. Sa vengeance. Mieux que ses punitions – qui ne me faisaient ni chaud, ni froid –, cette moquerie me faisait aussi mal qu'une flèche dans le cœur. Elle s'en rendait compte. Elle prenait un malin plaisir à enfoncer cette flèche virtuelle au plus profond de moi. Au final, je retournai m'asseoir sans dire un mot, en baissant la tête. C'en était trop ! La semaine prochaine, j'allais prendre ma revanche. Et leur flanquer la plus grande trouille de leur vie !

L'idée

Je passe mon premier week-end complet au Mistral. Papa m'a présenté à toutes les connaissances qu'il a déjà nouées. Il est rapide pour ça, papa. À peine étions-nous arrivés qu'il s'est mis au boulot. À temps complet. Il cherche des manuscrits rares ou un truc comme ça. Je ne comprends pas bien pourquoi il

fait ça. Il a fait des études pour être méde-
cin, et maintenant il se dit généalogiste.
Je n'y comprends rien, mais je sens que
ça cache quelque chose de pas clair. Il a
déjà questionné pas mal de Mistraliens.
L'accueil marseillais est chaleureux. Tout
le monde se connaît ici. Toute la semaine,
nous avons reçu des visites pour nous
souhaiter la bienvenue. Dès que je mets
un pied dehors, j'entends murmurer dans
mon dos :

– Qui c'est, celui-là ?

– Hé, c'est le fils du nouveau. Ils vien-
nent du Nord, de Bordeaux.

Je sens que ça va vite me gonfler. J'ai
l'impression d'être constamment espionné.
Papa m'a présenté à la famille d'en face,
les Marci. Le grand-père, c'est celui qui
tient le bar sur la place. Son fils, François,
est marié avec une prof qui a un prénom
bizarre, Blanche, je crois. Et ils ont deux

enfants, Johanna, qui est canon, et Lucas, qui fait du cinéma. J'aurai peut-être l'occasion de tourner un film avec lui, un jour. Enfin, c'est pas gagné car il n'a pas l'air cool. Quand Blanche lui a dit qu'il pourrait peut-être m'emmener à la plage pour me montrer les coins sympas, il a levé les yeux au ciel d'un air de dire : « Je ne suis pas une nounou ! » Je m'en foutais. Je pouvais très bien aller me baigner avec papa. Malheureusement, comme d'hab', il m'a annoncé que ce week-end allait être très chargé pour lui. Il avait soi-disant plein de boulot en retard. Bla, bla, bla... Encore de bonnes excuses pour ne pas s'occuper de moi. J'espérais au moins que le samedi soir, il allait m'emmener manger une pizza. Mais l'arrivée de Luna coupa court à mes espoirs. Papa l'avait invitée à dîner au restaurant. Sans moi, bien sûr ! C'était la première fois que l'on se rencontrait avec

L'idée

Luna. Papa était sous la douche. Je lui ai donc ouvert la porte de notre appartement, mais pas celle de mon amitié :

— Qu'est-ce que vous voulez ? lui dis-je sèchement.

— Quel accueil ! Je suppose que t'es Nathan. Moi, c'est Luna. Ton père est là ?

— Sous la douche !

46

– OK, je vais l'attendre dans l'entrée. Comment se passent tes premiers jours au Mistral ?

– Mal, en partie à cause de vous !

– Ouh là ! Je te préviens, des ados rebelles, j'en ai maté d'autres avant toi ! Alors je te conseille de changer de ton avec moi, sinon ça va très mal se passer entre nous !

Elle m'avait bien cassé. Mais au moins, elle était franche. J'aime ça ! Ça me changeait des fayots de ma classe. Je la laissai seule dans l'entrée pour retourner dans ma chambre. Nos prochaines rencontres promettaient de faire des étincelles. Papa est ensuite venu m'embrasser et me souhaiter bonne nuit. Rachel n'allait pas tarder. Je l'attendais impatiemment. Je lui avais demandé de m'apporter quelque chose. La sonnette annonça sa venue.

– Bonsoir, tante Rachel !

– Bonsoir, mon chéri !

– Tu as ce que je t'ai demandé ?

– Euh… Oui ! Mais je n'ai pas très bien compris pourquoi tu voulais que je t'apporte le catalogue de notre boutique…

Tante Rachel et Albert, son mari, tenaient une horlogerie jusqu'au décès d'Albert, quinze ans auparavant. Tante Rachel avait alors revendu la boutique, mais elle gardait chez elle quelques souvenirs et notamment le dernier catalogue des différents produits qu'ils vendaient.

– En fait, quand tu m'as parlé de tonton Albert et de votre horlogerie, j'ai bien kiffé. Je crois que je veux faire ça comme métier. Je me suis dit que ce catalogue pourrait m'aider à découvrir le métier.

Rachel eut un regard admiratif. Elle me prit dans ses bras et me serra très fort, au point de m'étouffer. Elle semblait si fière et si heureuse d'avoir un petit-neveu.

— Tiens, je te le donne avec grand plaisir. Tu as toutes les montres, réveils, horloges, alarmes qui se faisaient à l'époque. Du bon matériel, contrairement à ce que l'on fait aujourd'hui…

— Merci, tante Rachel. Je vais le regarder. D'ailleurs, je suis crevé. Je crois que je vais aller le lire au lit.

J'étirais mes bras et faisais semblant de bâiller pour confirmer ce que je venais de dire. Rachel semblait étonnée que je ne lui demande pas la permission de regarder un DVD ou de jouer à la console. Puis, elle m'embrassa sans chercher à en savoir plus. Après m'être lavé les dents et lui avoir souhaité bonne nuit, j'allai dans ma chambre. Il faisait une chaleur étouffante. Je m'allongeai sur mon lit et commençai à feuilleter le catalogue. Je m'arrêtai au chapitre des alarmes. Je tournai trois, quatre pages avant de tomber sur ce que je cherchais. « Cool, la voilà ! » m'esclaffai-je. « Maintenant, c'est bon ! J'ai tous les éléments en main. Dès lundi, le collège va voir qui est vraiment Nathan Leserman. Et je pense qu'après ça, je ne suis pas près d'y remettre les pieds ! »

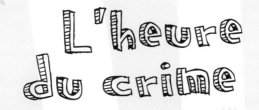

L'heure du crime

Le grand jour arriva. J'étais hyper impatient d'aller en cours, pour une fois. J'ai même eu du mal à m'endormir la veille au soir tellement j'étais énervé. Un peu comme la veille du jour où j'étais allé à Disneyland. Je m'étais levé une heure trop tôt. Ce qui a étonné papa :

— Ouh là, appelez d'urgence une ambu-
lance, Nathan se lève en avance un jour
d'école.

— Très drôle ! J'ai fait un cauchemar sur
maman. J'ai envie d'aller plus tôt au collège pour me changer les idées.

Ma réponse lui coupa net le sifflet. Je
savais que dès que j'abordais le sujet
« maman », il changeait de conversation.
Et ça fonctionnait ! Il ne m'en demanda
pas davantage. Je pouvais partir tranquil-
lement au collège sans qu'il me ques-
tionne et se doute de quelque chose. Mon
sac sur le dos, je partis non sans avoir
vérifié une dernière fois qu'il y avait bien
dans ma poche la page du catalogue que
j'avais déchirée.

J'arrivai au collège une bonne demi-
heure avant le début des cours. À cette
heure là, il y a une permanence pour tous

les élèves sérieux qui veulent réviser leurs cours de la journée. Évidemment, ils étaient tous surpris de me voir là. J'ai donc essayé de la jouer le plus discret possible. Pas un mot, pas un regard échangé. J'ai posé mes affaires et puis j'ai fait mine d'aller aux toilettes en posant mes mains sur le bas-ventre pour bien faire comprendre à tout le monde que c'était pour la grosse commission. Les couloirs étaient déserts à cette heure-ci. Au bout du couloir de la salle de permanence, je tournai à droite au lieu de prendre à gauche vers les toilettes. Au croisement, il y avait une chaise que j'embarquai sous le bras. Je montai les escaliers jusqu'à mi-étage. Là, je posai la chaise et je grimpai dessus. Ça y est, j'étais face à elle : l'alarme du collège ! Je sortis la page déchirée du catalogue de tante Rachel. Cool ! J'avais eu le coup d'œil, c'était

exactement le même modèle. Qui sait,
c'était peut-être le mari de Rachel qui
avait fourni l'établissement ? Peu importe.
L'essentiel était que ce soit la même.
J'avais minutieusement étudié son fonc-
tionnement. J'appliquai mes réglages.

Et le clou final : j'appuyai sur le bouton rouge ! Parfait, le compte à rebours était enclenché. Dans moins de trois heures, l'alarme du collège allait retentir, en plein cours de physique de madame Michaud. Ça lui ferait les pieds ! Mince, des bruits de pas. Je sautai de la chaise, la repris sous le bras pour que personne ne se doute de rien et je refis le chemin inverse en courant. Après avoir remis la chaise à sa place, je pris le couloir en speedant un max et je tournai à gauche quand mon corps percuta de plein fouet celui du directeur. Le choc fut violent. Surtout pour moi, vu comment notre directeur est gros et baraqué.

— Leserman ! Qu'est-ce que vous faites-là ? me demanda-t-il.

— Euh… Je cherche les toilettes… Je suis nouveau, je me perds encore un peu dans le collège !

— Mais, Nathan, les toilettes sont de
l'autre côté !

— Ah ! Merci m'sieur, bonne journée !

Il n'eut pas le temps de dire ouf, que
j'étais déjà de retour dans la salle de permanence. Une goutte de sueur dégoulina
de mon front. J'avais eu une bonne montée

d'adrénaline. J'en tremblais encore. Mais la mission était accomplie. Je regardai ma montre. Dans deux heures et demie, l'alarme allait résonner dans tout le collège. Ça allait être une belle pagaille. Je m'en frottai les mains d'avance.

Madame Michaud commença sa leçon de biologie comme tous les jours. Elle me demanda de lui apporter ma punition. Manque de bol pour elle, aujourd'hui, je n'en avais pas eu à faire. Pour la première fois depuis notre rencontre, je n'avais pas été puni. J'avais tellement été humilié vendredi que j'en avais oublié de faire ma bêtise du jour. Madame Michaud s'en souvint :

— Ah oui, c'est vrai, vendredi a été un jour béni. Espérons qu'il se reproduise. Nous pouvons commencer notre leçon sans perdre de temps à cause de Nathan. Profitons-en !

Madame Michaud prit sa craie et écrivit au tableau « TP : La composition de l'eau ». Nous étions pour ce cours dans le laboratoire du collège, au cinquième étage. Pour une fois, le cours allait être moins ennuyeux que d'habitude. Pour étudier les différents états de l'eau, nous allions faire des expériences. Cool ! J'adore les expériences. Nous étions par groupes de deux. Chaque groupe avait devant lui des tubes à essai transparents pour mettre l'eau dedans et un bec bunsen. Le bec bunsen permet d'avoir une flamme et, ainsi, de faire chauffer l'eau. Toute la première partie du cours consista à expliquer les règles de sécurité. Dès qu'on utilise le feu, il faut prendre tout un tas de précautions. Notre prof insista un long moment sur les consignes. Maintenant, nous pouvions passer aux choses intéressantes : les expériences.

— Allez-y, allumez tous vos becs bunsen, ordonna Madame Michaud.

Toute la classe s'exécuta. Chaque groupe d'élèves avait maintenant devant lui une belle flamme jaune. Madame Michaud passa dans les rangs vérifier que tout fonctionnait bien. Puis elle tourna le dos à la classe pour regagner le tableau.

C'est à ce moment précis que l'alarme de l'école retentit. Elle fit un vacarme de tous les diables. Je n'imaginais pas que ça allait faire autant de boucan ! Mais je m'en réjouissais d'autant plus. Madame Michaud semblait affolée. D'habitude, quand on fait des fausses alertes, les profs sont prévenus. Là, bien sûr, personne n'était au courant ! Madame Michaud dut penser que c'était une vraie alerte et que donc… il y avait le feu à l'école ! Elle commença à paniquer sérieusement. Elle cria en bégayant : « Vite, dépêchez-vous, tous dans le couloir. Allez, on se dépêche ! Et fermez les becs bunsen avant de sortir. » Je rigolais intérieurement. Alors, madame Michaud, on fait moins la fière aujourd'hui. Vous êtes plus à l'aise lorsqu'il s'agit de m'humilier ! Rémy, qui joue d'habitude au cador, tremblait comme une feuille. En réalisant qu'elles étaient au dernier étage, les Totally Spies commencèrent à courir dans tous les sens en criant « au secours, au secours ! ». Je tenais ma vengeance. Seule ombre au tableau, ma p'tite Clara. Elle était effrayée par le raffut causé par les autres élèves, tétanisée, même. Elle restait immobile et pleurait. Je m'approchai d'elle, la pris par la main et lui dis :

— Ne t'inquiète pas, ça va aller ! Suis-moi, je ne te laisserai pas tomber.

Nous sortîmes de la classe sous les « dépêchez-vous, dépêchez-vous ! » de madame Michaud qui, décidément, manquait

cruellement de sang-froid. Dans la précipitation, elle en avait même oublié de faire le tour de la classe pour vérifier que tous les becs bunsen avaient bien été fermés. Grave erreur. Rémy, affolé, avait oublié le sien. En claquant la porte, Madame Michaud créa un courant d'air qui fit vaciller la flamme de Rémy sur son classeur. Ses feuilles de cours prirent feu... et bientôt celles de son voisin. L'incendie se propagea ainsi dans le laboratoire. Mais cela, je ne le savais pas encore.

Notre classe descendit les cinq étages. Nous nous réunîmes tous au centre de la cour. Je tenais encore Clara par la main. Toute la classe semblait enfin rassurée d'être à l'air libre, en lieu sûr. Devant les autres profs, Madame Michaud fit semblant d'être sereine. Je regrettai de ne pas avoir filmé l'évacuation pour montrer à ses collègues à quel point elle avait flippé. Clara, elle, ne bougeait toujours pas. Elle avait les yeux fermés. Je la serrai alors dans mes bras et lui chuchotai : « C'est bon, tu peux ouvrir les yeux ! C'est fini ! » Clara me regarda et se blottit encore plus fort contre moi. Dans mon plan, je n'avais pas prévu cet aspect-là. Décidément, quelle bonne idée, cette fausse alerte !

À cet instant, je n'avais pas encore mesuré l'ampleur de mon geste. Lorsque Clara s'éloigna, je regardai autour de moi. Il y avait dans la cour toutes les classes, tous les élèves, tous les professeurs et le directeur. Mille personnes au moins ! Ils m'encerclaient. Ils étaient tous réunis ici par ma blague. Je commençais un peu à baliser. Au loin, j'entendis les sirènes des pompiers, puis celles stridentes de la police. Trois camions rouges arrivèrent.

Une dizaine de pompiers en descendirent
et se précipitèrent dans le collège avec
leurs casques et leurs lances. Les policiers
nous encerclèrent, nous demandèrent de
rester calmes, nous dirent que tout allait
bien se passer. Oups ! Je n'avais pas ima-
giné qu'on allait se retrouver dans un épi-
sode de « FBI : portés disparus ». J'étais
sans doute allé trop loin. Il fallait mettre

fin à cette sérénade. Tout penaud, je suis allé voir madame Michaud.

– M'dame, je pense que c'est une fausse alerte. Tout à l'heure, j'ai vu que le clapet de l'alarme était ouvert. Si ça se trouve, quelqu'un a appuyé dessus, sans faire exprès. Je suis sûr qu'y a pas le feu.

– Nathan, je n'ai pas de temps à perdre avec toi en ce moment !

– Je vous assure... À tous les coups, c'est une maladresse ou... une blague !

– Et les flammes qui sortent de la classe, ce sont des effets spéciaux, c'est ça ?! Arrête, maintenant, on ne rigole pas avec ces choses-là !

Madame Michaud me montra la fenêtre du laboratoire d'où s'échappait une fumée noire et épaisse. Il y avait donc bel et bien le feu. Je compris que, dans la précipitation de l'évacuation, quelqu'un avait dû oublier d'éteindre sa flamme. J'étais dévasté ! La boulette. Qu'est-ce que j'avais fait ? Je me pris la tête entre les mains lorsque Clara s'écria devant tous nos camarades de classe :

— Et Valentine ? Personne n'a pensé à Valentine ? Elle est restée là-haut ! C'est horrible, elle va mourir !

Effectivement, personne n'avait pensé à Valentine. Dieu sait que je déteste les tortues, mais l'idée que Valentine puisse mourir par ma faute me fut insupportable. Je profitai donc de l'inattention des gens, hypnotisés par le spectacle du collège en feu, pour passer sous le cordon de sécurité. Puis je contournai le collège pour accéder aux classes par le deuxième escalier, celui que j'avais emprunté ce matin pour dérégler l'alarme ! Malgré la chaleur insupportable et la fumée étouffante, je gagnai le premier étage et la classe de madame Michaud où séjournait Valentine. Je mis la main sur la tortue qui, une fois n'est pas coutume, n'essaya pas d'ouvrir la mâchoire pour me planter ses crocs dans les doigts. Au contraire, je lisais dans ses yeux rougis par la fumée une profonde reconnaissance. Elle semblait me dire « merci ». À ce moment-là, un pompier casqué entra dans la classe. Il me dit avec l'accent marseillais :

– Qu'est-ce que tu fais là, petit ? Tu es fou ou quoi ?

Un seul regard vers la tortue lui fit comprendre la raison pour laquelle j'étais remonté. Le pompier me prit dans ses bras de la même façon que je tenais Valentine dans les miens. Il me redescendit dans la cour au milieu de mes camarades. Tous étaient extrêmement admiratifs. Clara se précipita vers moi, prit la tortue dans ses mains et la souleva comme un trophée. Elle la montra aux autres :

– Nathan a sauvé Valentine ! C'est un héros ! cria-t-elle avec beaucoup de fierté, avant de déposer un baiser sur mes lèvres.

Les autres élèves se mirent à m'applaudir. Les Totally Spies vinrent même me remercier. Quant à Rémy, il sortit un bracelet noir en caoutchouc de sa poche avec écrit « Bo gosse » dessus, et vint à son tour me féliciter :

– C'est le bracelet de l'amitié ! Je ne le donne qu'à mes meilleurs amis. Je crois qu'après ce que tu viens de faire, tu l'as bien mérité.

Je l'acceptai. On se serra ensuite virilement la main. Ce bracelet voulait dire que j'entrais dans sa bande. J'étais fier. À Bordeaux, j'avais quelques potes, mais jamais je n'avais appartenu à une bande.

Des copains avec qui je pourrais délirer et qui seraient là pour me venir en aide quand j'aurais des problèmes. Une bande et une copine belle comme Clara... Et si finalement le Mistral devenait mon eldorado ? Je sens que je vais aimer Marseille. Malheureusement, le capitaine de police Léo Castelli vint interrompre ce moment de bonheur en me tapant sur l'épaule :

— C'est toi, Nathan Leserman ? Suis-moi, j'ai des questions à te poser !

Les problèmes arrivaient...

Je veux rester !

J e me retrouvai dans le bureau de Léo. Seul. Le capitaine Castelli était parti prendre un café avec son collègue, le lieutenant Nicolas Barrel. Je ne savais pas du tout ce qui allait m'arriver. J'avais peur. Dans la voiture de police, le capitaine Castelli ne m'avait pas parlé. Ça n'a pas l'air d'être un marrant ! À tous les coups, il va

se rendre compte que c'est à cause de moi
qu'il y a eu cet incendie. Je vais aller en
prison. Ça va être horrible ! Les larmes
me montaient aux yeux, mais je les rete-
nais. Je ne devais pas craquer sinon les
flics allaient tout de suite savoir que j'étais
le coupable. À cet instant, j'entendis la
voix de mon père dans le couloir.

— Où est mon fils ? Je veux le voir tout de suite ! cria-t-il sur le pauvre homme à l'accueil, qui finit par lui indiquer le bureau. Mon père surgit et me prit dans ses bras.

— Ça va Nathan ? Qu'est-ce que j'ai eu peur quand la police m'a appelé ! dit-il en me serrant au point de me faire vomir.

— Oui, ça va ! J'ai eu un peu peur ! lui répondis-je d'une voix faiblarde en jouant le grand traumatisé.

— Mais pourquoi ils t'ont emmené au poste ? Ils sont malades, ces flics ! Un enfant de 14 ans... Ils vont entendre parler de moi !

— Je connais mon travail, M. Leserman ! Léo venait de revenir à son bureau sans que l'on ne s'en aperçoive.

Il coupa net papa.

— Si votre fils est ici, c'est parce que le directeur de son collège et son professeur principal ont trouvé son comportement

étrange. J'aimerais l'interroger. Je vous prie donc de quitter mon bureau !

Papa se rappela à ce moment-là que j'étais parti plus tôt à l'école ce matin. Ses yeux, remplis de compassion jusque-là, passèrent à l'orage. Il me lança des regards foudroyants et gronda :

– Je te jure, Nathan, si tu as quelque chose à voir avec cet incendie, c'est direct le pensionnat !

Léo poussa papa hors du bureau tandis qu'il me menaçait du doigt, avec des éclairs de colère plein les yeux. Léo le raccompagna à la porte du commissariat, me laissant seul. J'étais terrifié. Jamais je n'avais vu papa dans un tel état. Et pourtant, des engueulades, on en avait eu. À la pelle ! J'étais vraiment allé trop loin avec cette alarme. Je m'en mordais les doigts. Ah ! si j'avais la possibilité de voyager dans le temps comme dans le film *Les Visiteurs.* Allez hop, un coup de potion magique et je remonte jusqu'à ce matin, 7 heures. Et là, je reste dans mon lit au lieu d'aller faire mon idiotie. Malheureusement, nous ne sommes pas dans un film de science-fiction. Léo n'a rien d'un super-héros. Comment vais-je m'en sortir ? Il faudrait que je trouve un beau mensonge pour me tirer de là. Je n'ai qu'à nier avoir touché à l'alarme. Mais non, les flics ont dû relever mes empreintes dessus. Je n'ai qu'à dire que quelqu'un m'a obligé à le faire. Pfff ! Ils ne me croiront jamais. En plus, lorsque le dirlo m'a surpris dans le couloir, j'étais tout seul. Et pourquoi je ne leur dirais pas que les extra-terrestres m'ont enlevé et m'ont dit que si je ne déclenchais pas l'alarme du collège à 11 heures précises, ils attaqueraient notre planète ? Argh ! Ça ne tient pas debout.

Je veux rester !

C'est vrai que les extra-terrestres ne parlent pas forcément notre langue. Le temps presse. Un petit effort Nathan, tu es le pro des excuses bidons d'habitude. Mais là, ça ne vient pas. Dépêche-toi, dépêche-toi ! Léo va revenir. Trop tard, il est là !

Léo explosa son gobelet en plastique sur son bureau. D'un poing rageur ! Les quelques gouttes de café restées au fond du gobelet volèrent au plafond. Il se cala ensuite au fond de son siège et mit ses pieds sur son bureau. Il ne me lâchait pas du regard. Il caressa son revolver, qu'il portait en bandoulière sur son aine gauche. Puis il prit un crayon à papier sur son bureau avec une gomme au bout. Il le mit dans sa bouche. Il le mâchouilla. Il n'y avait pas un bruit dans le bureau. Je ne savais pas s'il fallait que je dise quelque chose. Mais quoi ? Il ne m'avait rien

demandé. Il reposa le crayon, mais il conti-
nuait à mâchouiller. Toujours en me regar-
dant droit dans les yeux. Puis, d'un coup,
sans prévenir, il cracha le bout de gomme,
qui rebondit sur mon front comme un bal-
lon de foot sur un poteau du vélodrome,
et s'échoua par terre. Cette fois-ci, j'en
étais sûr : le capitaine Castelli était un

77

grand taré ! J'éclatai en larmes et lui déballai toute la vérité :

— Oui, capitaine, c'est de ma faute ! Je voulais faire flipper tous ces Marseillais. Depuis que je suis arrivé ici, rien ne va pour moi. Je me sens nul. J'ai l'impression que tout le monde me hait. Mon père n'est jamais là. J'ai peur dans cette ville que je ne connais pas. Alors, ce matin, j'ai voulu prendre ma revanche. Je suis arrivé en avance pour dérégler l'alarme et qu'elle sonne pendant le cours de madame Michaud. Je ne pensais pas que ça allait mettre autant le bordel. Et surtout, c'est pas de ma faute s'il y a eu le feu. J'ai eu très peur. Je ne me suis jamais senti aussi débile. Heureusement, tous les élèves ont été évacués, sauf Valentine. Alors, je suis reparti la chercher. Je n'ai même pas pensé au danger. Je suis désolé, déésoolé.

— Mais qui est Valentine ? demanda

Léo qui n'avait pas réussi à en placer une depuis que j'avais pris la parole.

– La tortue de la classe !

Léo émit un petit sourire. Un moment de silence s'installa dans le bureau. Il s'était levé et il marchait comme un lion en cage. Il semblait réfléchir.

– Tu sais, c'est très grave ce que tu as fait Nath...

Il n'avait pas fini sa phrase que je repris mon flot de paroles.

– Je sais, je sais, je sais. Mais je me sens bien ici. C'est la première fois que ça m'arrive depuis la disparition de maman. Après le feu, mes camarades de classe sont venus me voir. Ils ont été super cools avec moi ! Je sens qu'ils peuvent devenir des super bons potes. Je ne veux pas tout casser. Je ne veux pas aller au pensionnat ou en prison. Et puis, il y a

Clara. Vous avez déjà été amoureux, capitaine Castelli ? Bah si c'est le cas et si vous avez un cœur, vous ne pouvez pas me séparer d'elle ! Elle est...

Je ne trouvais pas de mot pour la décrire. Mais Léo comprit le message.

– J'ai un cœur, Nathan. Et oui, j'ai déjà été amoureux. Plusieurs fois même..., dit-il avec nostalgie. Mais je suis obligé de te punir, Nathan. Ce que tu as fait est trop grave pour que je tire un trait sur cette affaire !

Je m'écroulai. C'est sûr, maintenant, je peux faire mon sac à dos pour le pensionnat. Papa ne me le pardonnera jamais. Adieu le Mistral. Adieu mes futurs copains. Adieu Clara...

Les miracles existent

e me réveillai un peu fatigué le vendredi matin malgré les trois jours sans école qui avaient suivi l'incendie. Après ce que j'avais vécu cette semaine, rien d'anormal. Je me levai sans broncher et en faisant le moins de bruit possible pour ne pas réveiller papa et Luna, qui avaient passé la nuit ensemble. Ils avaient dû faire des câlins et devaient être eux aussi très fatigués. Cette liaison m'avait mis hors de moi en début de semaine. Mais aujourd'hui, cela m'était égal. Le nouveau Nathan était même très content pour son père. En faisant chauffer mon chocolat, je leur préparai un plateau où je disposai deux tasses, des tartines, de la confiture, deux verres de jus d'orange, des yaourts... et tout ce que papa prend à son petit-déj'. J'ajoutai un petit mot qui disait :

Coucou ! Je suis parti en classe. J'ai préparé votre petit-déjeuner. Régalez-vous :-) À ce soir ! Biz Nathan

PS : Je vais chez tante Rachel en sortant de cours. Je rentrerai tard.

Puis je pris le chemin du bahut. Il faisait super beau. Un rayon de soleil me caressa la joue. C'était super agréable. Aux portes du collège, quelqu'un me surprit par derrière en posant ses mains sur mes yeux.

– Devine qui c'est ?

Je me retournai. C'était Clara. Je lui fis un bisou et la pris par la taille. On se dépêcha car la sonnerie allait bientôt retentir et le cours de madame Michaud commencer. La vie du collège avait repris un cours normal. Comme si de rien n'était. Les dégâts de l'incendie avaient été minimes, finalement. Un nouvel élève arrivé ce vendredi ne se serait pas rendu compte de ce qui s'était passé lundi. Sauf, bien sûr, s'il se rendait au labo qui, lui, était complètement carbonisé. Et sauf, bien sûr, s'il tendait l'oreille car tout le monde dans le collège ne parlait que de ça.

La sonnerie du début des cours retentit. Avec Clara, on arriva juste à temps. Nous entrâmes et j'aperçus Rémy à l'autre

bout de la classe. Je lui montrai mon bracelet noir de « Bo gosse » ! Il me répondit
en faisant de même avec le sien. J'irai le
voir plus tard. Je jetai un coup d'œil à
Valentine. Je vous jure, elle me fit un clin
d'œil. Je sais, une tortue ne sait pas faire

de clin d'œil mais, là, j'en suis sûr. De mes propres yeux, vu !

Madame Michaud commença son cours sur les vecteurs.

— Qui veut venir corriger l'exercice que je vous ai donné à faire la semaine dernière ?

Je levai la main.

— Non, c'est pas vrai, Nathan Leserman ? Les miracles existent ! Bien, viens au tableau alors.

Madame Michaud n'en revenait pas. Eh oui, les miracles existent parfois. Et le fait que Léo ait accepté de ne rien dire à Madame Michaud, ni à mon père, ni au directeur... en était un ! Je me rendis au tableau. Je fis l'exercice. Sans faute. Puis j'écoutai le cours de maths religieusement. Comme ceux de français, d'histoire et d'anglais qui suivirent. Je prenais même du plaisir à essayer de comprendre

ce que les profs m'enseignaient. Les miracles existent bel et bien. Toute la journée se passa ainsi, comme dans un rêve, jusqu'au gong final qui marquait la fin du dernier cours de la journée. À la sortie du collège, je tapai dans la main de tous mes nouveaux potes avant d'embrasser mon poing et de montrer le bracelet de « Bo gosse ». C'était notre salut. Ma dernière attention de ce jour d'école était pour Clara. Je posai mon front sur le sien, la bousculai un peu vers l'arrière et l'embrassai. Puis je me reculai :

— Je dois y aller, on m'attend ! À demain, à la même heure devant le collège !

— Ça marche ! À demain mon héros !

Clara me regarda m'en aller en clignant des paupières. Oooh ! Qu'est-ce que j'aurais aimé rester plus longtemps avec elle ! Mais je ne pouvais pas. Une voiture m'attendait au bout de la rue. Elle était

déjà là d'ailleurs. Je m'en approchai, puis
ouvris la porte.

    — Monte ! me dit Léo. J'obéis.

    — Alors, bonne journée ? demanda-t-il.

– Ça va ! Alors, on va où ?

– Plage des Catalans !

– Plage des Catalans ? Mais elle est immense ! Je n'arriverai jamais à tout nettoyer en deux heures !

– Mais si, mais si, ne te sous-estime pas !

– Pfff !!!

– Tu préfères que j'appelle ton père et le juge pour enfants pour leur expliquer ce qu'il s'est vraiment passé le jour de l'incendie de ton collège ? Je connais un pensionnat très bien à Aix-en-Provence !

– Non, c'est bon, j'vais la nettoyer ta plage !

– D'abord, ce n'est pas ma plage ! Et deuxièmement, j'aimerais que tu y mettes un peu plus de bonne volonté et de bonne humeur. Je te rappelle que tu t'es engagé à nettoyer les lieux publics de Marseille pendant tout l'été contre mon silence.

Je me baissai un maximum sur mon siège de voiture pour que personne ne puisse me voir. Je ne voulais surtout pas qu'un pote me surprenne dans une voiture de flic, ni mon père, d'ailleurs. Personne n'était au courant de notre petit accord, avec Léo. Sauf tante Rachel, qui a accepté de me couvrir pour ne pas que papa s'inquiète de mes absences répétées pour aller nettoyer les plages. Elle était aussi d'accord pour payer la moitié des réparations du laboratoire. L'autre moitié, c'était pour ma pomme. D'où ces travaux d'intérêt général qui consistaient à ramasser tous les déchets laissés sur le sable pendant la saison estivale. Nous arrivâmes à destination, en haut de la plage des Catalans. Je descendis de la voiture. Léo me salua :

— Bon, on se revoit demain, Nathan !

— Quoi ? Mais c'est samedi, demain !

Les plages vont être blindaxes ce week-
end, je ne pourrai pas ramasser les
papiers.

– Oui, c'est pour ça que tous les same-
dis, un collègue ou moi t'emmènera dans
les parcs de Marseille. Il y a moins de
monde le week-end puisque tout le monde
est à la plage. Tu pourras bosser sans problème. Et même le dimanche matin...

– Mais papa va se douter de quelque
chose !

– Non, ne t'inquiète pas ! Je connais
très bien ta tante et depuis très longtemps. Elle est très forte pour raconter
des bobards, rigola Léo.

– Pfff !

– Comment ?

– Non, rien ! À demain, Léo...

– Et le petit mot magique ?

– Merci.

Léo me fit répéter trois fois le mot « merci » parce que je ne le disais pas assez fort. Puis il s'en alla au volant de sa voiture en mettant le gyrophare. Je descendis les marches pour aller sur le sable. Et là, je constatai le désastre : il y en avait partout. Des canettes, des bouteilles, des papiers, des emballages de chips, de bonbons, de barres de céréales. Dans les découvertes insolites, je trouvai un as de pique échappé d'un jeu de cartes, une écharpe qui n'avait rien à faire là à une époque où il fait 25° C, et un crabe mort. Quand je l'ai ramassé, sa carapace me fit penser à celle de Valentine. Un signe du destin.

Je repensai à tout ce qui s'était passé depuis mon arrivée. Ça me fit sourire. Puis je pensai aux vacances pourries que j'allais passer à nettoyer tout Marseille. Ça me fit beaucoup moins sourire. Mais, au

final, j'avais échappé au pire. J'allais pouvoir rester vivre à Marseille.

Et franchement, habiter au Mistral... ça le fait grave !

Les mésaventures de Nathan

Difficile d'évoquer Raphaël sans parler de Sybille. Mais cette complicité entre frère et sœur ne date pas d'hier : c'est à Paris que l'aîné et la cadette de la famille Cassagne ont grandi. Les années passées ensemble ont renforcé ce lien étroit qui les unit. À coup sûr, l'année scolaire 2007 accélère les choses. Raphaël est alors en première S tandis que Sybille entame sa dernière année au collège. Ils ne le savent pas encore, mais cette année-là marquera un tournant, et leurs rapports ne seront plus jamais comme avant…

Johanna s'entraîne dur à la patinoire de Grenoble où son entraîneur, célèbre pour sa rigueur, lui promet un bel avenir dans le patinage. À 14 ans, elle maîtrise déjà des sauts et des pirouettes que peu d'athlètes françaises réussissent. Son avenir pourrait bien se jouer à l'occasion du championnat régional où la gagnante décrochera sa place pour les championnats de France Junior à Paris. Johanna a toutes ses chances, mais Audrey, sa rivale, n'a pas dit son dernier mot. Et pour gagner, tous les moyens sont bons !

Et pour continuer l'aventure,
découvrez de nouvelles histoires
de nos héros du Mistral :

Sybille et Raphaël :
le tournant

Le grand saut
de Johanna

Achevé d'imprimer en septembre 2009 par l'Imprimerie CHIRAT
42540 Saint-Just La Pendue – France

Loi n° 49 956 du 16 juillet 1949 sur les publications
destinées à la jeunesse

Dépôt légal : octobre 2009 – N° 200909.0044